DEUX IMAGIERS
DU PAYS-D'ENHAUT

DEUX IMAGIERS
DU PAYS D'ENHAUT

CHARLES APOTHÉLOZ

avant propos
CHRISTOPHE BERNOULLI

iconographie
RENÉ CREUX

J·J·HAUSWIRTH
L·SAUGY

EDITIONS DE FONTAINEMORE

Que tous ceux
qui sont partis avec nous à la recherche de
Hauswirth,
trouvent ici le témoignage de notre reconnaissance,
particulièrement Anne Rosat, Hermann Daenzer, Christian Rubi,
Karl Stocker, Ulrich Ch. Haldi, Raymond Delachaux et Charles Isoz,
ainsi que Marcel Henchoz,
conservateur du Musée du Vieux Pays-d'Enhaut.
Notre gratitude s'adresse également aux collectionneurs
qui nous ont si obligeamment accueillis,
et aux collaborateurs
des Archives de l'Etat de Berne.

AVANT-PROPOS

Sur l'arbre mourant de l'art populaire, fleurirent très curieusement, au milieu du siècle dernier, de belles fleurs, celles d'une peinture campagnarde, les tableaux de nos artistes paysans. Dans la région du Pays-d'Enhaut, aux confins de l'Oberland bernois et du canton de Vaud, Johann Jakob Hauswirth créait ses étranges découpages aux ciseaux.

Avec l'âme d'un artiste naïf, il raconte son entourage immédiat. Tout ce qu'il a vu, vécu et observé dans la vie campagnarde, il le reconstruit à l'intérieur de son espace ornemental. Il puise pour cette ornementation à une force jaillissante absolument unique. Son don de créateur rappelle les combinaisons variables à l'infini des formes géométriques que l'on retrouve par exemple dans les tissages et les vanneries des Indiens. Deux mondes se réunissent dans l'œuvre de Hauswirth et font naître, en se fondant, une unité de style merveilleuse. N'est-il pas à la fois un conteur et un ornementaliste génial?

En contemplant son œuvre, nous sommes frappés de découvrir avec combien de grâce et de légèreté Hauswirth sait enrichir son art de nouveauté; il y déploie un talent qui nous fait penser à Mozart.

Dans ses découpages, on peut distinguer la représentation du monde dans lequel il vit et le pur enjolivement de l'histoire racontée.

Dans sa description, il reste toujours fidèle au fait. Son don de virtuose ornementaliste ne l'incite pas à transformer ou à s'écarter des aspects de la vie qu'il relate.

En songeant à ces découpages, les contes d'Andersen nous viennent aussi à l'esprit, car leur essence est proche de l'œuvre de Hauswirth: une imagination vivante, une naïveté attirante, de l'humour tonifiant et une âme pure d'enfant, toutes qualités dont l'artiste découpeur d'images est également pourvu (parallèle d'autant plus significatif, lorsqu'on sait qu'Andersen pratiquait aussi l'art du découpage).

Andersen a bien raison de raconter sa propre vie comme un conte de fées; il a réussi relativement tôt à quitter la situation médiocre et les conditions de vie modestes de l'atelier paternel de cordonnerie, pour accéder aux couches sociales les plus élevées, voire seigneuriales, et acquérir des biens matériels tout en ayant rang d'écrivain célèbre.

La vie de Hauswirth, par contre, ne fut que peine et labeur; elle n'avait rien d'un conte de fées. Elle était plutôt un miracle et elle est restée pour la postérité un mystère pareil à un livre scellé.

Hauswirth était pauvre et sa vie étrange et dure s'est déroulée dans le milieu social le plus humble.

Andersen et Hauswirth, si proches dans leur art et si différents dans leur vie extérieure, naquirent à l'aube du 19è siècle, et moururent tous deux dans la septième décennie de leur vie. Leurs chemins ne se sont certes jamais croisés, mais les voies secrètes de leurs amours ont pourtant un point de rencontre: le sort ne leur a guère souri, ni à l'un, ni à l'autre, dans leurs relations amoureuses. La douleur et la tristesse qui étaient leurs compagnes de route, ressemblent cependant aux bûches encore incandescentes que nous enfermons dans nos fourneaux et qui, en se consumant, ne disparaissent point mais donnent de la chaleur pendant longtemps encore.

Christophe Bernoulli

LE PAYS D'ENHAUT
ET
L'ART DU DECOUPAGE

Un petit musée de Suisse romande abrite quelques-uns des
fleurons de l'art populaire de notre pays: les papiers découpés
de Johann Jakob Hauswirth (1809-1871) et ceux de Louis David
Saugy (1871-1953). Il se trouve à Château-d'Oex, au cœur du
Pays d'Enhaut, cette étroite vallée des Préalpes vaudoises située
aux confins des cantons de Fribourg et de Berne, par où l'on
gagne en venant de Genève et Montreux les stations touristiques
de Gstaad, d'Adelboden ou de Mürren.
On met à présent un trait d'union entre Pays et d'Enhaut.
Mais sans lui, c'est bien plus beau, c'est le pays qui est en haut.
Alors j'écrirai: Pays d'Enhaut. Ce beau Pays d'Enhaut ne fut pas
toujours une voie de passage. Isolés au contraire sur des terres
reculées, ses habitants vivaient pauvrement en économie fermée
et pratiquaient le système d'autarcie communautaire dont
certains rêvent aujourd'hui dans les capitales du monde
industriel. Ils n'en sortaient pour ainsi dire jamais, sinon ceux
parmi les plus jeunes que les années de disette, assez fréquentes
autrefois, contraignaient à l'exil. C'est que cette haute vallée,
coupée de gorges escarpées où coule la Sarine, n'avait jusqu'à
la fin du siècle passé aucune issue sur les vallées voisines.
Le courrier y venait une fois par semaine à dos d'homme par le
col de Jaman, quelques six heures à l'aller et au retour de
Montreux, et plus de sept du marché de Vevey. Ce n'est qu'à
partir de 1870 que le tourisme vint peu à peu apporter au Pays
d'Enhaut, avec les routes puis le chemin de fer, une ouverture
sur le Valais, le lac Léman, la Gruyère et l'Oberland bernois,
avant que la radio puis la télévision le relient au reste du pays

et du monde. L'accès désormais facile aida à l'écoulement des laits, des fromages, du bétail et des bois.

La condition des montagnards de la haute vallée s'est beaucoup améliorée depuis cinquante ans, mais le cadre et le mode de leur vie n'ont guère changé. Les domaines se sont bien sûr regroupés et mécanisés, et on a renoncé à l'agriculture autarcique où chacun produisait ses céréales, ses pommes de terre, son chanvre et son lin, et filait la laine de ses moutons. Mais aujourd'hui comme hier "le rythme des saisons voit s'accomplir les mêmes rites de la terre. En avril, sortis du long hivernage de cinq mois, les troupeaux broutent la première herbe aux abords des granges. Puis, en longue procession et grande sonnaille de cloches, "tapes" et toupins, ils gagnent les "à-premiers", pâturages printaniers à flanc de montagne, enfin, en juin, les alpages d'été, jusqu'à plus de mille huit cents mètres, près des dernières taches de neige. Entre temps - et comme à l'époque des comtes de Gruyère - des troupeaux d'en bas les ont rejoints, venant de la Basse-Gruyère et du Pays de Vaud. Puis, dès août, on redescend par étapes, jusqu'au grand retour de la Saint-Denis, au début d'octobre, où les mêmes cortèges en cliquetis de cloches viennent brouter la troisième herbe des prés fauchés déjà en foin et en regain durant l'été. Puis, dès novembre, recommence le long hiver des étables, la neige bientôt, les convois de "billons" et de bois de râperie, les longues soirées claires et froides."[1]

C'est le cycle immuable des saisons, la vie alpestre des bergers demeurée inchangée dans un paysage resté fidèle à lui-même, c'est la même flore et la même faune des montagnes, qu'exaltent de nos jours encore les découpeurs de papier qui ont pris la relève de Hauswirth le charbonnier et de Saugy le facteur: Christian Schwitzgebel, David Regez et quelques autres dans le Saanental tout proche et l'Oberland bernois, Isaac Saugy et Anne Rosat au Pays d'Enhaut. Ce livre se veut un éloge posthume de leurs deux illustres devanciers, et tout autant un hommage à la pérennité de ce Pays d'Enhaut qui a vu éclore ces chefs-d'œuvre

de l'art populaire que sont leurs découpages, à la beauté sévère
de cette vallée vaudoise, dont le visage n'a guère changé depuis
le temps où le régent Abram David Pilet (1745-1810)
reproduisait fidèlement ses traits aimés dans la peinture qui
figure ci-après dans notre ouvrage.
Rien ne semble avoir prédestiné cette vallée à l'art du papier
découpé. C'était aux charpentes des chalets, à leurs façades, au
mobilier, aux outils, que ces paysans montagnards accordaient
traditionnellement tous leurs soins, aux ustensiles de la laiterie
et de la fromagerie, à ceux du ménage familial. Ils pratiquaient
de tout temps, avec une maîtrise remarquable et le plus souvent
anonyme, l'art du charpentier, de l'ébéniste, du boisselier, celui
du charron, du sellier, du ferronnier, et du fondeur de cloches
aussi. Tous les objets conservés au Musée du Vieux Pays d'Enhaut
sont faits de bois (plus rarement de cuir ou de métal), gravé ou
sculpté, orné parfois de peintures ou de motifs colorés. Quant
aux femmes, elles s'adonnaient dans le Pays d'Enhaut comme
partout ailleurs au filage, au tissage et à la broderie.
Non, rien ne semble avoir prédestiné le Pays d'Enhaut à l'art du
découpage, sinon le génie créateur du charbonnier Hauswirth.
Il ne l'avait cependant pas inventé: on pliait, découpait,
assemblait le papier bien avant lui sous d'autres latitudes, plus
près de nous en Pologne, en Allemagne et dans toute l'Europe
centrale. C'est ainsi qu'à l'époque où naquit Hauswirth la mode
était en Europe à la silhouette, ce portrait de profil qu'on
découpait dans du papier noir en suivant l'ombre portée d'un
visage. Avant la Révolution de 1789 déjà, le genevois Jean Huber
s'était rendu célèbre par ses vignettes représentant son ami
Voltaire dans toutes les poses et dans tous ses états. Goethe
lui-même s'adonna à ce jeu de société, et c'est en admirant la
silhouette de Charlotte von Stein qu'il en tomba, dit-on,
amoureux. Johann Caspar Lavater, quant à lui, en fit un usage
moins mondain dans son célèbre traité de physiognomonie, paru
en 1775 à Zürich. Avant eux encore, au milieu du 17è siècle,
R.V. Hus découpait au couteau, dans le Sud de l'Allemagne,

d'étranges figures de parchemin qu'il collait sur un fond noir.
A la fin du siècle on y pratiquait aussi l'art baroque de la
dentelle de papier qu'on trouait à l'aiguille, et qu'on assemblait
à des gravures découpées au canif et rehaussées de couleurs.
Innombrables sont enfin les images pieuses en papier découpé
ou dentelé qu'on ciselait dans les couvents de toute l'Europe
catholique et qu'on vendait lors des fêtes religieuses aux fidèles.
L'artisanat domestique était pratiqué à la veillée dans les
maisons paysannes du 18è siècle, dans notre pays comme
ailleurs, en Suisse alémanique surtout, où l'on trouve aussi bien
des découpages à la silhouette que des vignettes et des dentelles
de papier, ornant souvent les lettres d'amour, ou encore des
chablons de parchemin servant à peindre des motifs décoratifs
sur les meubles.

Hauswirth, on le voit, n'a certes pas inventé le découpage. Mais
il a probablement tout ignoré de ce qui se faisait au-delà des
Préalpes bernoises. Peu importe, car il n'est pas rare dans le
domaine de l'art populaire et de l'artisanat que des êtres séparés
dans le temps et l'espace, voire par la civilisation, aient non
seulement utilisé les mêmes techniques, mais créé aussi des
motifs d'ornementation, des figures et des symboles qu'on
pourrait croire souvent nés de la même source, sinon de la
même main.

Ce qui surprend dans le cas de Hauswirth, ce charbonnier qui se
louait à la journée ou à la tâche, et n'eut que très tard un
domicile, c'est qu'il soit parvenu à une telle maîtrise, à un tel
raffinement dans un art de patience réservé, semble-t-il, à ceux
qui possédant mains fines et logis confortable peuvent occuper
leurs veillées sédentaires à découper bien au chaud sous la
lampe, et laisser leur ouvrage inachevé à l'abri des courants d'air
(ou le soustraire au jeu des chats en le serrant dans le tiroir de
quelque table) jusqu'au moment de le reprendre au point où il
était resté.

Ce qui étonne davantage, c'est que Hauswirth ne doive rien à
l'art populaire du Pays d'Enhaut, à celui du Saanental qui l'a vu

naître et des vallées bernoises où il passa plus des deux tiers de sa vie. Il ne leur a rien emprunté, ni les sujets de ses œuvres, ni leur technique. Il a tout créé de ses mains épaisses de bûcheron, et de son cœur d'exilé.

Ironie du sort de l'écriture! Ces pages étaient déjà composées quand trois découvertes sont venues en quelques jours les démentir. J'avais affirmé, avec la tranquille assurance de celui

qui croit tout savoir, qu'au Pays d'Enhaut comme partout ailleurs au siècle passé, les femmes filaient, tissaient et brodaient. Oui certes, mais trois d'entre elles au moins découpaient déjà le papier!

La première, je la trouvai citée dans l'inventaire de la Collection Théodore Delachaux vendue aux enchères à Lausanne, en 1956, inventaire conservé au Musée du Vieux Pays d'Enhaut. Il y est fait mention de quatre découpures "attribuées à Madame Julie Cottier de Rougemont, vers 1839". Des découpures, nulle trace, sinon d'encre! Je courus annoncer la sensationnelle nouvelle à un ami de Château-d'Oex, dont je connais la passion de Hauswirth qui le hante depuis l'enfance. Sans sourciller, il me répond: "Ainsi, l'Inconnue, c'est elle!" Et placide, de m'apprendre qu'il possède quatre découpages d'une même main anonyme, qu'un sien ami en détient un cinquième, qu'ils ont été trouvés tous les cinq à Rougemont, et que tout porte à croire que leur auteur était une femme du siècle passé! "A moins que...", ajoute-t-il finement...

- Tu as entendu parler d'une Julie Cottier de Rougemont? lance-t-il à sa mère.

- Julie Cottier?... Julie Cottier?... Ne serait-ce pas l'arrière grand'mère de Ririli?

Nous voilà partis à Rougemont, à la recherche de Ririli. C'est l'après-midi du Samedi-Saint. Nous le trouvons attablé avec Pilou au Café du Cheval Blanc. Il a 74 ans, droit comme un i.

- Il se pourrait bien que mon arrière grand'mère ait été une Julie Cottier... Il vous faut demander à Cottier l'avocat (il y en a cinq!), il sait tout sur la dynastie des Cottier... mais j'ai pas entendu dire qu'elle découpait...

A croire que l'ami et Ririli s'étaient concertés et me faisaient courir. Je me promis pourtant de rendre visite aux cinq avocats vivants de la dynastie.

Quelques jours plus tard, je dépouille les archives de Théodore Delachaux, enfin rassemblées par son neveu, avocat lui aussi à Lausanne. Et je trouve bien à leur aise dans une petite enveloppe (je cherchais tout autre chose) les photographies des quatre découpures attribuées à Madame Louise Julie Cottier de Rougemont, vers 1839 (l'une d'elles figure dans ce chapitre). Et découvre entre les feuillets d'un délicat papier à l'ancienne quelques bribes de branchages découpés, et une vignette de papier noir: un vase aux branches fleuries! Jolie, la vignette, gracieuse, mais sans rapport avec les cinq images de l'Inconnue. Ainsi ce n'était pas elle! Du même coup, en voilà deux de femmes découpeuses au Pays d'Enhaut!

Le temps de me remettre, et je jette un coup d'œil dans un paquet de notes descriptives des découpages figurant au répertoire de la collection. Dans la pile, une page égarée, et son titre, attirent mon attention: "Découpures". Ce par quoi le collectionneur désignait des œuvres anonymes, récoltées ici ou là durant la quête. Et dessous, quelques lignes d'une grande écriture hâtive. Je les transcris ici telles que je les ai lues, dans leur style télégraphique: "Saugy Marguerite des Bodemos sur Rougemont née au début du siècle 1800. C'était la marraine du beau-père de Louis Saugy, artiste en découpures (ancien facteur, Louis à Jules) à Rougemont. Voir photographie d'une découpure représentant un petit pêcheur orange au pied d'un arbre à côté d'une maison bleue appartenant à Saugy Louis." Je fouille toutes les archives. Pas de photo, pas le moindre petit pêcheur orange, bernique! Mais Marguerite ne peut être l'Inconnue aux images de femmes-fleurs que vous allez admirer en tournant cette page. Et de trois! J'en suis là. A moins que...

Quant à la Belle Inconnue, peut-être se dévoilera-t-elle un jour? ou jamais? Qu'importe! Aujourd'hui je veux croire (jusqu'à demain) ce qu'en dit la mère de mon ami. N'a-t-elle pas entendu parler d'une rebouteuse qui, disait-on autrefois, faisait des découpures. "Même qu'elle habitait entre Rougemont et Saanen, à la limite des deux langues". C'est elle, l'Inconnue, j'en suis sûr, celle qu'on nommait du joli nom de Gritele à Abram de la Coudre.

Ainsi, je m'étais trompé. Quelque chose prédestinait l'étroite vallée où coule la Sarine à l'art du découpage, et Hauswirth ne fut pas le premier à y manier les ciseaux! C'est vrai, il eut des précurseurs (le mot n'a pas de féminin). Mais ce qui est admirable, c'est qu'à lui seul, étranger au Pays d'Enhaut, inculte probablement illettré, il lui ait donné un art populaire achevé, lequel ne doit qu'à l'application fidèle de Saugy et de ses successeurs d'être devenu cette tradition qui fait la renommée de la haute vallée, et sa gloire.

1. "Trésors de mon Pays", volume 142.

3

JOHANN JAKOB HAUSWIRTH
le charbonnier

Son nom même, et tout souvenir de lui, seraient aujourd'hui
oubliés sans Théodore Delachaux. Ethnographe et peintre
réputé, il fut le premier à s'interroger sur l'auteur anonyme des
découpages qu'il avait découverts au début du siècle dans les
chalets du Pays d'Enhaut. La réputation de l'artiste paysan,
comme l'appelle Delachaux, n'aurait pas dépassé nos frontières
sans le professeur Christophe Bernoulli et ses pénétrantes études.
Mais on ne saurait rien de lui sans le frère de Théodore,
le docteur Constant Delachaux, qui fonda le Musée du Vieux
Pays d'Enhaut. Sans Emile Henchoz, qui en fut le premier
conservateur. Sans l'actuel, son fils Marcel. Et sans Christian
Rubi, l'infatigable sourcier de nos traditions populaires qui,
parti à sa recherche il y a plus de trente ans, interrogea tous
ceux qui avaient pu le connaître, ou entendre parler de lui.
Sans ces possédés de la magie du charbonnier, ses œuvres
n'auraient pas quitté les hautes vallées de nos préalpes pour s'en
aller enrichir les collections privées (et les rabatteurs
d'antiquités), mais il n'est pas certain que sans eux
elles eussent été conservées. La plupart sans doute auraient
disparu dans les grands feux des à-fonds de printemps, où l'on
brûlait les vieilleries entassées par les générations dans les
armoires ou les bahuts. Ne subsiterait ici ou là qu'une image,
serrée dans une bible ancienne qu'aurait préservée la piété
familiale, ou jaunissant dans son cadre sur la paroi d'une
chambre "parce qu'elle a toujours été là". Demeurée anonyme,
comme il en va souvent des œuvres de l'art populaire, comme
il en a été au Pays d'Enhaut des cinq découpages que je viens,

par impuissance, d'attribuer à "Gritele à Abram de la Coudre".
Si la renommée posthume de Hauswirth a très certainement
sauvegardé ses œuvres, elle a surtout nourri sa légende. Car on
ne connaît à son sujet, d'authentique, que son acte de décès,
et depuis peu, celui de son baptême. Le premier fut retrouvé à
Château-d'Oex par Théodore Delachaux: "Le 31 mars 1871
Louis de Chapalay, vérificateur des décès de la paroisse de
l'Etivaz, a déclaré que Hauswirth, Jean Jacob, de Gessenay,
domicilié à l'Etivaz, âgé de soixante-trois ans, fils de Hauswirth,
Bénédict et de Marguerite Lucie, née Jaggi, est décédé à l'Etivaz
le vingt-neuf mars 1871 à neuf heures du matin. (sign. Th. Glinz,
pasteur)". Delachaux en déduisit qu'il était né en 1808.
Bernoulli, Rubi et d'autres encore l'ont affirmé après lui,
alors qu'Ulrich Chr. Haldi, l'éditeur passionné des Saaner
Jahrbücher, fouillant à ma demande les archives de Saanen
(Gessenay), vient d'y découvrir son acte de baptême, lequel
atteste qu'il est né au mois des foins (juillet) de l'année 1809.
Cette différence d'un an n'a que peu d'importance.
Elle invite cependant à mettre en doute ce qui paraît pourtant
assuré. Du moins sait-on maintenant avec certitude que Johann
Jakob n'était pas un enfant trouvé, comme on l'avait parfois
supposé, mais qu'il était bien le fils légitime d'une famille du
Saanenland, qu'il était donc d'origine alémanique, et qu'il
mourut à quelques kilomètres du lieu de sa naissance, mais en
pays romand.
Entre les deux repères des dates de son baptême et de sa mort,
c'est l'inconnu. Sur les soixante-deux années qu'elles bornent,
on ne sait rien de sûr, sinon qu'il a vécu. Et découpé du papier.
Dans les archives, nulle trace. Chez les notaires, aucun acte.
Pas de lettres, pas de reçus. Tout ce qui a été écrit à son sujet
fut un jour raconté, et répété, quarante ans ou quatre fois vingt
ans après sa mort, par des gens qui disaient l'avoir connu,
ou avoir entendu des gens qui prétendaient qu'une fois un tel
l'avait vu. Et tous ces gens qui disaient, ou qui disaient qu'on
disait, ils sont morts à présent.

Ceux du Simmental prétendaient que Hauswirth avait été placé tout enfant, par un proche parent, dans une ferme de la commune de Boltigen, "auf dem Flühli", au-dessus de Garstatt. Chez un paysan, pour travailler. Contre sa nourriture.
Qu'il y resta longtemps, qu'il était devenu grand, et qu'alors, il était parti faire sa vie, comme tant d'autres, par les chemins du pays. Qu'il avait vécu ses meilleures années dans les vallées voisines, revenant souvent dans sa patrie (seine Heimat), auf dem Flühli de son enfance.

Collection A. et C. Bernoulli, Bâle. 11,5 x 5,5 cm.

Ceux du Pays d'Enhaut affirmaient qu'un jour il avait passé la frontière des langues, qu'il se louait à la journée comme valet dans les fermes, ou à la tâche comme charbonnier dans les forêts des Rodemonts, sur Rougemont. Qu'on l'appelait "Trébocons", ou "le Grand Fleitche", qu'il était bizarre, et que devenu vieux il s'était construit une cabane dans les gorges du Pissot, devant l'Etivaz.
Ils disaient tous qu'il découpait. Qu'il arrivait. Qu'il demandait le gîte dans la grange. Et que le matin, il donnait une vignette, une découpure, pour la nuit. Que parfois on le faisait entrer. Qu'il sortait de son sac de cuir des ciseaux, et du papier qu'il pliait et découpait, et quand il l'ouvrait on voyait un vase et des fleurs, ou bien un cœur, ou deux chevaux face à face. Et qu'il

laissait son découpage quand il partait. Qu'on ne pouvait pas le laisser là, sur la table, ni le brûler. Quelque chose empêchait. Alors on le mettait à l'abri, comme une marque dans le livre, comme un signet dans la Bible. Ils disaient qu'il donnait aussi ses marques à des gamins, en échange de leurs papiers de caramels, ou à l'épicerie du village, pour une chute de papier de tapissier, ou un cornet, un emballage.

Qu'il était grand, qu'il marchait lourdement, qu'il ne parlait pas tant. Et qu'il avait des mains énormes, si énormes, qu'il ne pouvait pas manier une habituelle paire de ciseaux. Qu'il y avait ajouté deux boucles de fil de fer bricolées à la mesure de ses doigts épais de géant appliqué, inoffensif et rêveur. Certains racontaient qu'à la fin il ne travaillait plus, qu'il allait de ferme en ferme, comme font les colporteurs, y vendre pour quelques sous une montée à l'alpage, un grand bouquet, un cœur ardent peuplé de cerfs et d'oiseaux. Et puis disparaissait, pour arriver des mois plus tard, de nouveau. Et qu'il était connu dans les fermes, que toujours il était revenu, chez ceux qui autrefois l'avaient reçu. Et qu'il était même un peu attendu, qu'on se mettait à se les garder, ses grands découpages, et ses collages, à les suspendre dans un cadre au-dessus du bahut.

Et qu'un beau jour il était mort, dans sa cabane du Pissot, solitaire comme il avait vécu, celui qu'on appelait "Trébocons", ou "le Grand Fleitche", "le Vieux des Marques" aussi.

Ainsi parle la légende de Hauswirth. Elle est têtue. "A quoi bon douter? la légende souvent vous dit la vérité. Les Vieux ont dit ce qu'on vous dit. Ainsi c'est ainsi". C'est pas qu'on doute, on aimerait savoir de sûr, on aimerait voir, boucher les trous de la mémoire. Il ne suffit pas, vous comprenez, pour savoir, de lire ce qu'on écrit: que l'art de la silhouette était à la mode dans les salons de l'Europe cosmopolite du 18è siècle, qu'avant lui des moines découpaient des images pieuses, que des paysans des environs de Berne dentelaient des lettres d'amour pour les filles, ni même que des femmes du Pays d'Enhaut découpaient des vignettes dans du papier. Tout ça ne suffit pas pour comprendre

Musée du Vieux Pays-d'Enhaut, Château-d'Oex. 32 x 26 cm.

que cet homme des bois se soit un jour (sur le tard, semble-t-il) nanti d'une paire de ciseaux, et que la main du charbonnier fût celle du maître des chefs-d'œuvre en papier. Suffit pas, pour sentir faut aller voir.

Auf dem Flühli d'abord, dans la maison des Bühler, où il grandit. Oui, oui, on dit qu'il est venu ici tout petit. Pourquoi? on ne sait pas. Il y avait la peste en ce temps-là. Ses parents étaient morts, probablement. Ils étaient pauvres, sûrement. Ou trop d'enfants pour le nourrir à la maison, et le vêtir. On en plaçait souvent, chez les paysans. Ici, on vivait alors comme à présent. Quarante vaches à gouverner, les pommes de terre à planter, un peu de seigle à semer et récolter, quelques légumes en été, qu'il passait sur l'alpe, à s'embêter. A l'école, il allait l'hiver, à Garstatt, apprendre à lire et à écrire. S'il découpait déjà? on ne sait pas. Quand il est parti? on ne sait pas. Pourquoi? pour faire sa vie. Où ça? par là. On dit qu'il revenait souvent. Des découpages, mes grands-parents en avaient tout un tas. Je les ai vus, je ne sais plus. Il en reste trois, ils sont là.

A Schwarzenmatt, c'est pas loin de là, un peu plus bas, j'y suis allé plusieurs fois. Chez Karl Stocker, qui fut instituteur. Non, il n'est pas certain que Hauswirth ait su traire et faucher. Vous comprenez, c'était réservé, au fils du maître pas aux valets. Eux, ils portaient le foin, ils sortaient le fumier, eux ils portaient et nettoyaient. Oui, tous les enfants allaient à l'école, les enfants du maître et les enfants placés. C'était contrôlé. Ça veut pas dire que Hauswirth ait su lire et écrire. Quelques semaines en hiver, des dizaines de gamins dans une salle, de tous les âges et pas de tables. Au catéchisme aussi il est allé. C'était aussi contrôlé.

Alors on a cherché. Dans les archives de l'église. Le Chorgericht contrôlait, et verbalisait. Qu'une fois ils avaient convoqué un paysan du Flühli, qu'ils l'avaient interrogé: si mon garçon manque la classe, c'est, vous voyez, qu'il n'a pas d'habits pour y aller. Dans le registre des aumônes on a vérifié. Celui-là était assisté. Près de cent familles, on lisait là, qui furent assistées dans la commune de Boltigen, en une année. Les enfants, on les envoyait voler les provisions dans les chalets. Quand on les prenait, on les exposait à la sortie du culte, sur le grand escalier de l'Auberge de l'Ours, à Boltigen, le dimanche.

Le paysan a été semoncé. Il a promis. On a cherché, on a cherché. Pas de trace de Hauswirth Johann Jakob. Ni à l'école,

Archives du Musée du Vieux Pays-d'Enhaut, Château-d'Oex.

ni à l'église. Pas vu son nom dans le registre des premières communions, le jour de la confirmation. C'est qu'il était parti. Ou pas encore ici.

On a cherché. Et puis un jour on a trouvé. Qu'en 1828, les époux Bühler, auf dem Flühli, avaient été séparés. Parce que la femme avait porté plainte: son homme la battait, et la moquait devant un valet, et ce valet avait voulu la violenter, étant de mèche avec lui pour la faire tomber. Et que deux ans après, le valet avait été congédié, et qu'ils s'étaient réconciliés. Si c'était lui? il avait vingt-et-un ans, la force d'un géant. Ça va pas? ce n'est pas lui, ce valet-là.

Alors pourquoi est-il parti? et quand? et où? On ne sait pas, on ne sait pas. On dit qu'il était resté au pays. La preuve, ce sont les découpages qu'il a laissés, et puis les témoignages. Oui, mais voilà, ils sont du temps d'après, du temps qu'il était au Pays d'Enhaut, qu'il allait de Château-d'Oex à Thoune, et revenait. Du temps qu'il était charbonnier et journalier, et se taisait quand on l'interrogeait. Le passé, à quoi bon en parler? Ça fait un trou de trente ans, ou de quarante. On a cherché. Peut-être s'était-il engagé? soldat à l'étranger, comme tant d'autres de son âge, qui n'avaient pas de quoi manger. On a cherché et rien trouvé. Ni dans les contingents de Hollande, ni dans les

Archives du Musée du Vieux Pays-d'Enhaut, Château-d'Oex.

armées allemandes. Un jour, j'ai cru l'avoir débusqué: les Milices bernoises avaient enrôlé un Hauswirth Johann Jakob, né à Saanen en 1809. Hourra! Oui mais voilà, le père de ce soldat-là ne s'appelait pas Bénédict, et sa mère n'était pas une Jaggi, c'était une Kohli.
Le nôtre de Hauswirth, a disparu. Pendant dix ans, vingt ans, trente ou quarante. En 1853, il est à Rougemont, brusquement. Il vit seul et sans argent. Et se tait quand on le questionne sur avant, sur tout ce temps. Ça sent le drame assurément. Vingt ans, trente ans, le temps du bagne dans le temps. On a cherché, et rien trouvé, dans les registres d'écrou du pénitencier de "Schellenwerch". Il y avait encore cette forêt du Rüschegg, où se cachaient les hors-la-loi, mais sans loi pas de registre qui fait foi!

Est-ce peine de cœur inconsolable qui le tint éloigné si longtemps? et le fit s'exiler dans la forêt des Rodemonts? Christian Rubi y a songé, à cause des mots qu'il a trouvés au dos d'un découpage: "Vergiss mein nicht im Leben / Anna Ällig an der Garstatta / ich gebe dir das zum Andenken, Liebes. 1866." Je les traduis ainsi: "Ne m'oublie pas dans cette vie / Anna Ällig à Garstatt / je te donne ceci en souvenir, ma chérie. 1866." On a cherché et trouvé: Anna habitait à Littisbach, sur le chemin du Flühli; en 1866 elle avait quatorze ans, et Hauswirth

Collection A. et C. Bernoulli, Bâle. 13 x 6,5 cm.

cinquante-sept. C'était sa fille, me répond Rubi, ou alors c'est qu'il avait aimé sa mère, du temps de ses vingt ans!... Oui, pourquoi pas? on ne sait pas.
Une autre question aussi demeure sans réponse: quand? où? comment Hauswirth a-t-il appris à découper? Il a bien fallu commencer. J'ai cru longtemps que c'est Emanuel Beetschen qui lui avait montré. Il était bien de Garstatt, mais de neuf ans son cadet, et découpa plus tard, quand il était instituteur et connaissait l'histoire de l'art par cœur, et R.W. Hus, qu'il imitait. Son parrainage est bien invraisemblable.
Il faut imaginer. Hauswirth a dû éprouver, au hasard de son errance, une émotion violente en voyant quelque part, quelqu'un, une femme sans doute, découper du papier sous une lampe, et

naître de ses doigts comme par miracle une forme achevée, d'une fleur peut-être, plus présente, plus réelle, plus vraie à ses yeux, posée là, à plat sur la table, que son modèle vivant lové à côté d'elle dans le col d'un vase. Cette éblouissante révélation du mystérieux pouvoir de l'artiste avait inoculé dans la moelle de l'âme de ce vagabond inculte, de cet étranger, de ce paria, un tourment dévorant, celui de composer de ses mains noires de journalier les signes d'un monde plus harmonieux que nature, qu'il puisse offrir à ceux qui lui refusaient le partage du leur, et leur dire ainsi, dans le langage dérisoire de la beauté, sa solitude et sa soif d'amour.

Oui, mais encore. Il faut savoir, et pouvoir. Pour découper, il faut du temps, et un toit. C'est Anne Rosat qui m'éclaira.

Elle habite aux Moulins, et découpe maintenant depuis pas mal de temps. Pour quelqu'un d'entraîné, et bien sûr un peu doué, découper une marque dans un papier plié ne prend que peu de temps, et peut se faire n'importe où, à chaque instant.

Hauswirth, c'est sûr, était doué, et découpait depuis longtemps. Qu'on n'ait rien trouvé de lui qui soit daté d'avant cinquante-trois ne prouve pas qu'il ait été absent, mais seulement, pour le moment, qu'il a pris le temps d'être content de son ouvrage. Ou plutôt que les gens ont mis du temps à trouver qu'ils étaient assez beaux pour durer, ses découpages, et lui demander de les dater. Alors, il s'est mis à dater, mais n'a jamais signé. On peut très bien l'imaginer découpant un moment dans un pré, dans un bois, sous un auvent, et serrer son papier plié, pas terminé, dans son sac de cuir, qui sûrement n'était pas un sac, mais une boîte en cuir, une sacoche de cavalier, ou sabretache de cocher. Il a très bien pu continuer aussi à découper ses tableaux par morceaux, ayant son tableau dans la tête, et les serrer dans un fourreau. C'est pour coller son tableau qu'il lui fallait une table et son plateau, l'abri d'un toit, pour quelques heures sorti du bois.

Tout cela n'a rien d'exceptionnel, continue Anne Rosat. Ce qui m'étonne, moi, ce que j'admire, c'est qu'il a tout inventé, rien

Musée du Vieux Pays-d'Enhaut, Château-d'Oex. 14 x 8 cm.

Collection Aloïs Rosat, Château-d'Oex. 12,8 x 5,5 cm.

Musée du Vieux Pays-d'Enhaut, Château-d'Oex. 16 x 8,5 cm.

imité. Ses marques déjà ne devaient rien à personne. Mais c'est lui le premier qui a composé de grands tableaux dans une feuille de papier, pour les coller. Avant lui pas de remuage en

Musée du Vieux Pays-d'Enhaut, Château-d'Oex. 16 x 11,5 cm.

papier. Et le schéma de la montée à l'alpage, c'est lui qui l'a trouvé, qu'il soit peint, ou découpé. Il ne s'est jamais arrêté. Quand il a su maîtriser la découpure dans du papier plié, il a dû s'embêter à fignoler. Il ajouta les couleurs, par à-plats d'abord (deux arbres tout bleus dans un décor tout noir), puis par touches, comme fait le peintre, en superposant des papiers collés de plusieurs couleurs. Il ne se préoccupait pas de fignoler, mais d'inventer, de composer, de créer. Il fut aussi le premier à oser rompre la symétrie du papier plié. Il lui fallait toujours dépasser, trouver, et créer. Et lui n'imitait pas, ne copiait pas, ni la nature, ni rien. Il n'était pas un paysagiste, ni un animalier. Il avait tout regardé, dévoré. Il avait tout en lui. Ce qu'il voulait, c'était créer, pour donner.

Il a tout inventé, et chaque fois tout épuisé des possibilités. Après lui, tout était dit; on ne pouvait que l'imiter. Mais ce qui est inimitable dans ses découpages, ce qu'on ne peut pas copier, qui n'est qu'à lui, c'est la flamme de son âme, le feu d'amour qu'il y a mis, le feu qui brûle le papier, qui fait un coup de chaleur, en plein cœur.

Anne Rosat rêve un moment. Bien sûr, ce serait beau, dit-elle, qu'on retrouve sa trace quelque part, pour savoir. Ici ou bien ailleurs. Elle se tait. Parti pour une peine de cœur?... moi je pense à ce souvenir de baptême qu'on vient de retrouver, celui d'une petite fille de la Lenk née en 1837, et qu'on a voulu célébrer dans du papier découpé. Etait-ce lui? Au milieu, c'est écrit aussi, que la marraine était une Anna Ällig , une autre Anna que celle de Garstatta, une autre Anna de l'âge de Hauswirth, celle-là. Une peine de cœur? pourquoi pas... Peut-être bien qu'il est parti? En Bavière, d'où s'en venaient les ouvriers des mines de charbon de Schwarzenmatt. Il est peut-être descendu dans la mine avec eux, et les a suivis au pays des paysans bavarois, qui découpaient des vaches en ce temps-là. Ou bien plus loin, en Pologne, pourquoi pas? où des paysans découpaient et collaient des fleurs en papiers de couleur.

Peu importe, dit-elle, qu'il soit resté ici, ou bien parti. C'était un homme qui avait beaucoup voyagé, avec son cœur, qui était très cultivé, qui ne savait peut-être pas lire, ni écrire, mais qui avait beaucoup connu, avec son cœur, tout comparé, et mesuré.

Et qui un jour est revenu, de loin, de tout. Qui a choisi la liberté, le ciel et la forêt, la pauvreté.

Choisi? A-t-il choisi, ou bien est-ce la vie qui a choisi pour lui? C'est le destin, dit-elle, des êtres simples, des êtres forts, qui suivent le sentier tracé en pointillé au fond du cœur. Du sentier ils font un chemin, un destin.

La Providence n'est pas le Destin. Elle surgit avec le visage de la grâce ou de la catastrophe. C'est elle qui le sépara de ses parents, tout enfant. Mais c'est le Destin qui le fit partir, ici ou bien ailleurs, et revenir, et puis aller et venir, traçant son chemin de

misère, jusqu'au fond des Gorges du Pissot, où il mourut
solitaire, inconnu, les ciseaux de la grâce à la main. Ce destin
qui lui était proposé, ce chemin qu'il a tracé, il l'a cherché sur le
sentier de Littisbach, il l'a suivi sur les alpages de Ried, sur les
routes du Simmental. Il a erré avec entêtement, ici ou ailleurs,
très loin peut-être, très longtemps, avant de venir brusquement,
du néant, dans la forêt des Rodemonts, sur Rougemont.
Dans la vie de Johann Jakob, elle a surgi deux fois, la
Providence. Elle avait le visage de la catastrophe, dans son
enfance, quand elle le sépara de sa mère, et le plaça. Mais elle
avait le visage de la grâce, à Garstatta ou bien plus tard, on ne
sait pas, quand elle était cette femme qui découpait sous la
lampe, et qui l'émerveilla, et lui montra le pouvoir des ciseaux,
lui révéla la lumière sous le boisseau. Le sentier en pointillé ira
toujours, dans son cœur, de la séparation de son enfance à la
rencontre des ciseaux. Il a été séparé, sevré trop tôt. Il est
orphelin des autres à jamais. Partout il est d'ailleurs. Il est
partout un corps étranger. La mécanique n'a pas besoin de lui
pour tourner. Alors il s'en va, toujours plus loin, de forêt en
forêt, pour faire du charbon, pour faire le bûcheron. Et quand il
sort de la forêt, il va à la rencontre des autres une image à la
main, et ses ciseaux. Toujours séparé, toujours étranger. Sans
lui, la mécanique des autres tourne rond. Toujours il repart,
toujours plus profond.
Il est solitaire. Mais il est reconnu puisqu'on ne l'appelle plus
seulement "Trébocons" ou "le Grand Fleitche", mais "le Grand
des Marques" maintenant. Il a sa place à présent, à condition de
rester à part, séparé. Maintenant qu'il est reconnu, et même
attendu, il a accepté de suivre le sentier en pointillé. Il va son
chemin, une image à la main, et puis revient dans sa cabane de
forêt. Maintenant qu'il a accepté de vivre séparé, étranger, il a
découvert où est sa place. Dans la forêt, mais sous un toit. Ce
n'est pas lui qu'on aime, mais ses images de papier. Ses ciseaux
lui ont gagné le droit de vivre. Ils lui donnent aussi son pain,
maintenant. Alors il construit sa cabane forestière. Pour y faire

Collection particulière. 21,5 x 16 cm.

des tableaux, toujours plus beaux. Il ne découpe plus n'importe où, n'importe quoi, ce qu'il a sous la main. Il choisit ses papiers, avec soin, il choisit ses couleurs. Il n'est pas devenu artiste par volonté. Il l'est devenu en suivant le sentier en pointillé, pour être aimé. Et le sentier est devenu ce chemin, au bout duquel il a rencontré les autres, et son destin. L'artiste est mort inconnu, je veux dire des gens bien, des journaux. Mais quand Johann Jakob Hauswirth mourut, les autres étaient devenus les siens, puisqu'ils aimaient ses images et lui donnaient son pain. Quand il mourut, solitaire, inconnu, dans les Gorges du Pissot, dans la forêt, il avait enfin trouvé son nom: "Le Vieux des Marques" était redevenu un enfant aimé, un enfant reconnu.

"Qui ne traîne pas de mystères après soi, surtout un étranger? Celui-là sort tout éberlué des forêts". C'est Jean Giono qui écrit ça.[2] Celui-là, c'était "le Déserteur", qui sortit aussi du néant; vers 1850 lui aussi, et mourut lui aussi au mois de mars 1871. Pas à l'Etivaz, mais à Haute-Nendaz. Il ne découpait pas, il peignait des tableaux. Lui aussi venait d'on ne sait où, surgissant brusquement, à la recherche de son nom. On se pose les mêmes questions: "Quel crime a-t-il commis (si crime il y a!)? on croit toucher à quelque but, on voit plus loin qu'il n'en est rien. Il est bien tout simplement un déserteur. C'est un homme qui s'en va. Il ne s'arrêtera que lorsqu'il trouvera sur place une fuite en profondeur". Il la trouvera à Haute-Nendaz, où lui aussi construisit une cabane dans les bois. "S'il peint, c'est qu'il veut vivre. Il ne peint pas pour exprimer le monde. Ses tableaux sont de longs monologues qu'il adresse aux vivants, à ceux dont sa vie dépend. Il exprime la plus touchante volonté de vivre, et de vivre enraciné, de ne plus fuir, d'être accepté, adopté, aimé, admis." Alors il peint des images de Saints, comme Hauswirth découpe des cœurs. Il s'appelait Charles Frédéric Brun, et trouva son nom: "le Déserteur", à Haute-Nendaz (on dit Ninde), lui qui "avait déserté une forme de société pour aller vivre dans une autre, et pour cela avait choisi la solitude et la misère." Peut-on choisir la misère? Je tourne en rond. Comment vivaient les autres, à Rougemont? "Les gens d'ici, autrefois, vivaient très parcimonieusement." Au début du siècle encore la grand'mère Breton allait à pied chaque semaine, par le Col de Jaman, vendre les tommes du voisin aux dames de Vevey, et ramenait quelques sous serrés dans un mouchoir. Ses enfants mangeaient des pommes de terre tout le long de l'année. La mère faisait du gâtelet, des galettes de pommes de terre qui leur servaient de pain pendant l'hiver. Les jours de fête, elle apprêtait la pâte, la

Musée du Vieux Pays-d'Enhaut, Château-d'Oex. 17 x 7 cm.

rôtissait sur l'âtre, et la roulait comme une crêpe, qu'elle saupoudrait de sucre, et si le sucre manquait (elle en achetait une livre dans l'année) elle nappait le gâtelet de sucre de recuite du lait. Les temps ont bien changé. Mais on se souvient à Rougemont du temps pas très ancien où l'on disait: "C'est le jour à Beyette du Crêt (un journalier qui bégayait et livrait dans les fermes de la sciure contre sa nourriture) faudra pas ronger les os de trop près". Hauswirth lui, me dit-on, a très bien pu survivre autrefois de pain de fèves et de trop-plein du petit-lait. "Le fromage, il n'y faut pas penser, on le vendait, seuls les riches pouvaient se le garder, quelques pièces au grenier pour les temps de disette". Les autres, à Rougemont, ne vivaient pas beaucoup mieux. Mais ils avaient un toit, eux, un âtre, un feu, et

des enfants autour d'eux. Peut-on vraiment choisir la solitude?
Peut-être, quand on est venu de très loin, chercher son nom.
"Trébocons", le raccourci est dérisoire. Trois morceaux, oui mais
pourquoi? Parce qu'il était grand et marchait tout voûté?
Parce qu'il était estropié? lui qui marchait si loin toujours en

Musée du Vieux Pays-d'Enhaut, Château-d'Oex. 10 x 8,5 cm.

route sur les chemins? Trois morceaux de quoi? De papier? de
pain? ou de bois? Trois bûches qu'il emportait dans son sac
comme faisaient les chemineaux en ce temps-là? On ne sait rien.
Mais le sobriquet blesse en tout cas. "Le Grand Fleitche" est
plus gentil, "Le Vieux des Marques" aussi.
Je l'ai tant cherché, Hauswirth, qu'enfin je l'ai vu. Cinq fois, je
l'ai vu. Son visage, jamais. Seulement son dos, il était toujours
de dos, et quand j'avais tourné autour de lui pour le voir de
face, il était de nouveau de dos. Comme dans un rêve. Jamais vu
ses yeux, qu'il devait avoir enfoncés, et bleus, très bleu foncé.
Une première fois, j'avais cru l'apercevoir dans la petite école de
Garstatt, au milieu d'enfants si nombreux qu'ils étaient serrés
sur le plancher, assis ou à genoux, penchés sur une page de

Musée du Vieux Pays-d'Enhaut, Château-d'Oex. 23 x 19,2 cm.

lecture. Mais quand je me suis approché, il avait disparu, comme un frisson sur la fuite de l'eau dans la rivière. Une autre fois, sur l'alpage de Ried, à courir derrière une vache qui s'était éloignée. Quand il est revenu, ce n'était plus lui, mais un autre, le petit Ueli.

C'est dans la forêt des Rodemonts que je l'ai rencontré. Il n'était pas seul. Ils étaient trois. Des charbonniers. C'était la nuit. L'hiver, je crois, il faisait clair et froid. Il y avait Alberto, de Bergame, et

Collection Aloïs Rosat, Château-d'Oex. 13,5 x 7 cm.

son cousin Rico. Lui, Johann Jakob, était debout, de dos, comme une statue sur le haut du fourneau, ses hautes jambes écartées enrobées des légères fumées qui s'échappaient du cône de la meule de terre. C'était lui le maître de la meule, celui qui conduit la fouée et sait tous les secrets du feu, du vent, des essences, de l'air et du temps. J'ai fait le tour de la clairière lentement, et brusquement la meule a disparu, et lui dessus. Mais je sais qu'il est resté là, avec Rico et Alberto, cinq jours, cinq nuits durant, à veiller les évents de la tire, attendant le grand feu qui rougit toute la chemise de la meule quand elle vient à pied, à colmater la cheminée quand la fumée passe du gris-jaune au bleu clair, à attendre encore que s'éteigne et se refroidisse le feu, puis à déchausser la fouée à grands coups de

Collection particulière. 9,5 x 9,5 cm.

crochets à dents, à l'asperger, à râteler les charbons, les mettre
dans des sacs qu'ils descendront chez le patron, qui les vendra
au forgeron, ou au doreur, à l'argenteur, c'est selon, les fumerons
aux paysannes pour les fers à repasser, les fours à bricelets, ou
les chaufferettes, ou les moines, qu'elles glisseront avant le
coucher entre les draps glacés du lit, sous l'édredon.

Cet après-midi d'été aussi, j'étais là-haut, dans le pâturage de la
Passounette, près du chalet de la Sciaz. Je suis resté longtemps
avec le petit Jules Adolphe Henchoz (on dit Hinche), cachés
perchés dans un sapin au-dessus du "Vieux des Marques", à le
regarder découper. Assis sur une pierre au soleil, tout un
après-midi, à découper du papier, sans s'apercevoir qu'une
chèvre broutait, un à un, avec l'herbe du pré, les fragments
d'image colorés qu'il y déposait à côté de lui, comme autant de
corolles de fleurs.

Un jour, je l'ai suivi sur le sentier qui grimpe des Moulins, et
redescend brusquement, entre les rochers, jusqu'au fond du
Pissot. Il allait plus vite que moi, il allait toujours devant moi.
Il est passé devant la scie (elle était silencieuse), et quand je suis
arrivé à la cabane, il faisait nuit. La porte était fermée.

Une autre fois, j'étais à l'Etivaz, à la cure, chez le pasteur
Vuilleumier. Hauswirth était là, assis devant moi. Il avait gardé
son pècheloupe de laine noire sur la tête, ne bougeait pas. Le
pasteur avait parlé de la nouvelle route, où pouvaient passer les
luges maintenant. Il lui avait offert, à lui qui ne fumait que la
pipe tout le temps, un cigare de Grandson qu'il retournait entre
ses gros doigts, cherchant le trou par où tirer la fumée. Le
pasteur maintenant lui parlait en bernerdütsch (il était question
de chasse à l'ours sur les Arpilles) et le sondait. Sur son passé,
sur son apprentissage de découpeur de silhouettes, sur sa venue
au Pays d'Enhaut welche. Mais Hauswirth restait muet,
n'appondait pas. L'homme de Dieu passa à la prière. Il avait les
yeux fermés, on l'a quitté.

Je suis entré derrière lui, ce jour de pluie et de neige du
Jeudi-Saint 1978, chez un antiquaire des vallées qu'il a souvent

traversées, à pied, du temps où la diligence reliait Saanen à Thoune. Il a feint de s'intéresser aux armoires peintes, aux bahuts sculptés, aux cloches de Schopfer, mais son regard cherchait de biais les découpages qu'il savait exposés dans l'arrière-boutique. Il se planta soudain derrière un couple de visiteurs.

– Un Hauswirth, disait le marchand.

– Une copie, fit une voix, posément.

Le couple sursauta. Leur hôte aussi.

– Très bonne. Et le cadre est de prix.

– En effet, enchaîna rapidement le marchand, de cette qualité-là, elles sont très rares. Nous les vendons pour l'artisan, celle-ci mille deux cents francs, l'autre mille. Un Hauswirth véritable est de nos jours introuvable. Je n'en possède qu'un, il est chez moi (ma femme prétend que j'en suis amoureux, hi, hi!), on m'en a offert l'autre jour douze mille, mais rien à faire, jamais je n'en ferais une affaire, m'en donnerait-on trois, quatre, ou même cinq fois plus, c'est clair.

Je suis sorti derrière lui. Il avait disparu. Le village déjà allumait ses fenêtres. Une cloche sonnait dans la nuit tôt venue. Plus jamais je ne l'ai vu.

2. "Le Déserteur", de Jean Giono, Editions de Fontainemore, Paudex 1966.

J.-J. Hauswirth

13

17

31

51

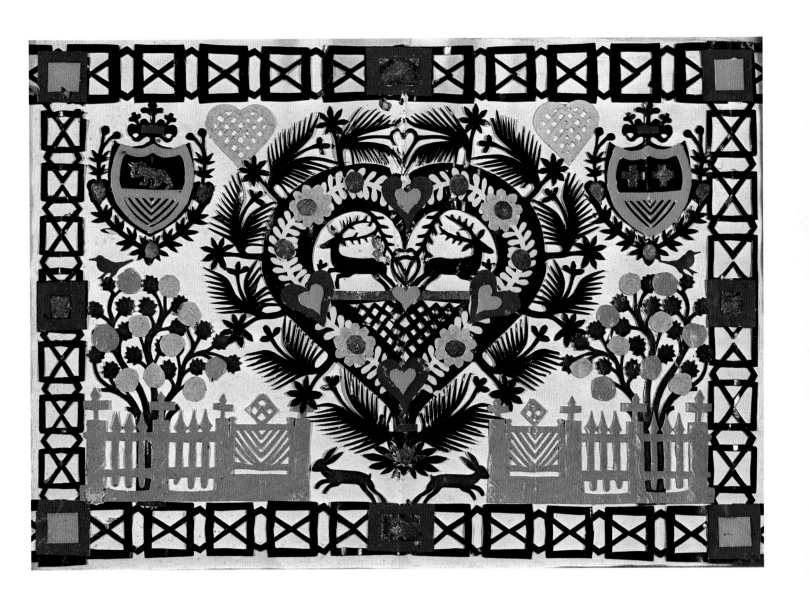

57

59

61

71

Souvenir donné par
Jean Nic EHRENN &
Marie née LENOIR
le 9 Mars
1863

LOUIS DAVID SAUGY
le facteur

Tout sépare Louis David Saugy et Johann Jakob Hauswirth, les deux découpeurs du Pays d'Enhaut. Tout, hormis le matériau de leur art: le papier. Ils ne se sont d'ailleurs jamais rencontrés, Johann Jakob étant mort quelques mois avant la naissance de Louis David, en 1871. Eussent-ils été du même âge ils n'auraient guère fraternisé, tant les deux hommes étaient différents.
Par leur origine d'abord: on ne connaît que peu de choses de celle de Hauswirth, sinon par l'acte de son décès qui le dit natif du Saanenland, où l'on parle un dialecte alémanique, et par celui de son baptême, découvert tout récemment. On ne sait rien de sa famille, alors qu'on connaît très bien celle de Louis David, fils de Jules, venu au monde au hameau de Gérignoz, près de Château-d'Oex, à quelques kilomètres de Saanen certes, mais dans le Pays d'Enhaut où l'on parle le français. Sa mère était institutrice, alors que Johann Jakob était probablement illettré. On ignore ce qu'il advint de Johann Jakob tout enfant, et jusqu'au milieu du siècle où on le retrouve, la quarantaine passée, dans le Pays d'Enhaut, se louant à la journée comme valet dans les fermes, ou à la tâche comme charbonnier dans les forêts de vernes des Rodemonts, sur Rougemont. Sa trace sans cesse se perd, de Saanen au Simmental ou au Frutigland, puis au Pays d'Enhaut, et on ne sait quand ni pourquoi il franchit la frontière des langues. On sait seulement qu'il mourut en pays romand, inconnu, solitaire, dans la cabane qu'il avait construite de ses mains, dit-on, au fond des gorges obscures du Pissot, devant l'Etivaz. Alors qu'on peut suivre pas à pas le chemin de Saugy, de la petite école à son apprentissage de charpentier, et

sa pratique de facteur, de sa retraite anticipée pour cause de maladie (les séquelles d'une méchante mastoïdite) jusqu'à son couronnement d'artiste populaire, à son veuvage et à sa mort paisible, en 1953, parmi les siens. Les admirateurs de Saugy viennent encore se recueillir sur sa tombe, au cimetière de Rougemont. La cabane de Hauswirth, elle, a disparu, et tout vestige de sa dernière demeure sous l'humus anonyme de quelque forêt de sapins noirs. On le disait timide, taciturne, secret. A une dame bien pensante qui lui aurait demandé s'il aimait Notre Seigneur Jésus-Christ, il aurait répondu (en français?): "Ah! Diable oui!" C'est la seule parole qu'on ait conservée de lui, à croire que ce poète était sans voix. Les bons mots, les fables de Louis Saugy, ses réparties au contraire, sont demeurés célèbres dans la contrée. L'homme était d'humeur joviale, bon vivant, joyeux buveur. Il fréquentait les cafés du pays, avec quelques excès parfois, dit-on, et distillait dans sa cave une gentiane très prisée de ses amis, et de quelques clients qu'il avait initiés aux sortilèges de son alambic montagnard. Tout dans la vie de Hauswirth est mystère. Les recherches à son sujet butent sur le vide et le silence. Nul indice quant à l'origine de son art, quant au lieu et aux années de son apprentissage de découpeur: les plus anciens découpages datés qu'on ait trouvés de lui portent le millésime de sa quarante-sixième année, et sont déjà des chefs-d'œuvre, nés parfaits du néant têtu de l'inconnu. Toute question est restée vaine, jusqu'ici. Chez cet homme étrange, tout est secret décidément, mystère propice à la légende. Chez Louis Saugy au contraire, tout est clair, limpide, allant presque de soi . Nul secret, nul mystère, pas trace de légende: sa biographie et sa personne appartiennent au domaine public de la haute vallée. Il est vrai que sa mort est relativement récente. A peine une génération. Pour découvrir son visage, pour savoir qui il fut, il suffit de se promener dans le Pays d'Enhaut et d'interroger ceux qui l'ont connu. Ils parlent tous de "Louis à Jules" à cœur ouvert.

"Il était ni petit ni grand, un peu plus haut que moi, raconte

Arthur Breton, qui n'est pas grand et m'a reçu chez lui dans son chalet de la Combabellaz, où il finit sa longue vie en compagnie de sa fille Marie Madeleine. Il était très aimé des gens, du temps qu'il était facteur dans le fond de Rougemont. En ce temps-là il n'y avait pas de boîte aux lettres. Il toquait à la porte, on ouvrait, il tendait le courrier. Quand on avait une lettre à expédier, on la lui donnait. Il bavardait volontiers un moment. Parfois il entrait. Et s'en allait plus loin. Il avait ses têtes par exemple. Il était assez catégorique et n'envoyait pas dire sa manière de penser, de la mordache si vous voyez. C'est son oncle Olivier de la Poste qui l'avait fait embaucher sur le tard, en 1903. Avant il était jardinier par Vevey, puis charpentier chez son oncle Aloïs. Il aimait bien son oncle Louis Alexandre aussi, qui était organiste et trompette de cavalerie. Il y avait encore son oncle Victor, le père d'Isaac, le découpeur qui vit encore. Il faut vous dire qu'ils étaient cinq fils, les enfants des David à la Marie, et que sa grand'mère était une Bertholet, d'une famille de charpentiers, les meilleurs du pays. Jules du Crêt, son père, était agriculteur et bûcheron. Il découpait parfois, le soir, des grandes silhouettes d'animaux ou des personnages, et sa mère, elle, dessinait joliment. C'était une Lenoir-Pégay, elle enseignait. Louis prit tout petit le goût des images, lui qui disait plus tard: "Si tu n'es pas dessinateur, tu n'arriveras pas avec les ciseaux". Il était l'aîné. Et puis il y a eu Julien, qui fut instituteur à Yverdon, puis Lisette, puis David, qui était poissonnier et maçon." Arthur Breton (on dit Bretton) sait tout des gens de Rougemont. Il fut secrétaire communal, et officier d'état civil pendant longtemps. Il a tout retenu de ce qu'il a écrit ou lu dans les registres, à l'année près. Il est bien calé dans son fauteuil, un fond de chapeau noir en guise de calotte sur ses longs cheveux blancs, qu'il a soyeux, et sa barbe est jaune de fumer ses pipes tout au long des années. Son regard est pétillant, riant, et bleu, bleu comme celui d'un enfant. Et quand il parle, ses mains tracent devant lui des arabesque légères, délicates, qui dessinent le sens autour des mots. Quand par exemple il dit: les gens d'ici,

XXXVII

autrefois, vivaient "parcimonieusement", très "parcimonieusement"
Il continue: "Les trois enfants de Louis à Jules sont morts à
présent. Alice, qui avait épousé son cousin germain, Gabriel de
la Poste, le fils d'Olivier donc; sa deuxième fille, Elisa, était
mariée à Louis Gabriel Rossier, qui est entrepreneur à Lausanne
(vous le connaissez, il est grand, il a l'air d'un gitan, la
moustache noire, l'œil noir sous le grand chapeau noir). Ernest,
lui, s'était expatrié. Il est revenu, paralysé, se faire soigner à
Leysin, où sa femme tenait une pension, "L'Espérance", et fut
assassinée à coups de marteau, pour la voler, par des voyous,
des sans-pitié."
Arthur Breton a raboté le fromage. Pendant qu'on mange les
rebibes: "Louis à Jules était poissonnier à ses heures d'été, je
veux dire pêcheur, et connaissait la Sarine comme personne,
toutes ses gouilles. Il pêchait sans bottes et se faisait aider par
Auguste à Jacques qui le portait d'une rive à l'autre. Un jour, il
fit semblant de s'encoubler, Louis à Jules sur les reins, qui prit
un bain".
C'est pendant ses loisirs d'hiver qu'il découpait. "Dans la
chambre, l'après-midi, raconte Jacques, un petit-fils; on était
souvent cinq, mon frère Jean et mes cousins, à le regarder
découper. Sans bouger. Sinon le grand-père nous envoyait
dehors, nous chamailler ou bien jouer. Des fois, il nous laissait
découper, des fleurs dans du papier, mais on était vite rebuté
par la difficulté. Nous venions de Lausanne y passer toutes nos
vacances. On dormait dans la chambre d'en haut, qui n'était
pas chauffée, mais un peu de chaleur passait par un trappon,
au-dessus du fourneau. Il y avait deux lits. Le grand-père et la
grand'mère dormaient dans l'un, mon frère et moi dans l'autre.
Quand ils avaient des choses à se dire en secret, ils se parlaient
patois, qu'on ne comprenait pas. J'étais encore petit quand la
poste a été finie. Ma mère m'a raconté qu'il allait porter le
courrier très loin, à pied, par tous les temps, jusque dans la
Manche, derrière les Rodemonts, sur Rougemont. Et que plus
tard, souvent il envoyait ses filles, pendant que lui découpait.

Il m'a raconté que jeunes gens, ils allaient avec la grand'maman faire le Bruck (le col de Jaun) à vélo, et qu'à la descente le torpédo chauffait, alors ils attachaient des branches, qui traînaient derrière et freinaient. Le vélo de la grand'mère avait deux vitesses, et des jantes en bois. Le sien, il ne l'avait plus. Il disait qu'un jour il l'avait réparé, bien graissé et puis laissé". On sait comment Louis à Jules travaillait. Un collégien l'a raconté dans un cahier qu'il m'a montré. Il habitait alors à Château-d'Oex. Maintenant il est vétérinaire, ailleurs. Je ne dis pas son nom, il est modeste, il m'en voudrait. Il l'a vu découper et l'a interrogé. Je recopie ce qu'il a écrit dans son cahier, sans rien changer: "Saugy n'a pas d'atelier, il travaille assis, à demi-couché sur le canapé, devant une petite table surmontée d'un pupitre plein de papiers noirs ou de couleurs, de brochures, de cartes postales ou de menues boîtes. Après avoir ajusté ses lunettes et son inséparable casquette plate, toujours de guingois sur un crâne chauve, il se cale dans sa "couchette", le haut du corps rejeté très en arrière. Tout son être se fige alors, absolument immobile; seules ses mains remuent, montant et descendant au rythme lent de sa profonde respiration. Dans la gauche, de petits ciseaux très fins qu'il aiguise chaque jour, coupent tout droit devant eux le papier dirigé par la main droite. Le silhouettiste ne connaît pas l'ébauche, fût-ᴄ ᴌa plus simple. Après avoir plié son papier en deux, la couleur tournée vers l'intérieur du pli, il le découpe du côté blanc, sans débarrasser les débris jusqu'au moment où il ouvre sa feuille, contemple l'image d'un œil critique et, s'il est satisfait, il la met en réserve dans une boîte spéciale, sinon, "c'est sous la table! Quelquefois ça va du coup..." Puis, la provision "d'ombres chinoises" suffisante, Saugy passe à la seconde phase de la fabrication du tableau: la mise-en-page et le collage. A vrai dire, la composition était déjà trouvée avant qu'il ne commençât à découper son ouvrage: elle en est la genèse, et cela facilite beaucoup la mise-en-page. Un jour que je lui demandais comment il s'y prenait pour se rappeler toutes les formes des figures et les détails de la composition, Louis à Jules me répondit, désignant son front de l'index: "J'ai ça ici", ou bien, une autre fois: "J'ai tout mon savoir dans les doigts". Le collage est un travail plus ingrat. La principale difficulté consiste à éviter les "plâtres", c'est-à-dire les taches épaisses de colle. Saugy se sert de ses ciseaux pour disposer ses motifs sur la feuille où ils seront fixés, puis pour les maintenir en place, pendant qu'il passe sous chacun d'eux un "picot de femme" (une aiguille à chapeau), enduit de colle qu'il fait lui-même avec de la gomme arabique."

"Cette colle, complète le vétérinaire, il la faisait venir d'une droguerie de Vevey. Il n'en voulait pas d'autre. Il disait: "Elle est blanche comme la neige". Il ne savait pas, le pauvre, que sa colle blanche jaunirait, brunirait avec le temps, et ferait ces vilaines taches qu'on voit maintenant sur ses tableaux."

Saugy, à ce qu'on dit, n'aimait pas Hauswirth. Il lui devait tout pourtant. Ses sujets, ses motifs, sa technique, ses principes de composition. "Ça manque de vie, reprochait-il, on dirait des statues ou des hommes en sucre de Noël; c'est pas habillé, c'est mort!" Il passa en réalité sa vie à s'en détacher, à l'oublier, à ne plus l'imiter. Il disait, montrant des sapins de son précurseur: "Regarde-moi ça, ils sont tous comme des pains de sucre, c'est rien ça; il faut proportionner les choses, les faire comme elles sont." Et c'est en observant la nature qu'il crut le dépasser, en reproduisant la vie dans son mouvement: un chamois à l'arrêt, un chamois se préparant au saut, un chamois se recevant après le saut; ou une vache s'arc-boutant où le chemin est plus raide, marchant avec précaution où il redescend. En cherchant la vie, il trouva l'éphémère, le fugitif, l'accident. Chez lui pas de symbole. Le cœur? ce que signifie le cœur? "Oh je n'en sais rien, répondait-il au collégien, le cœur c'est une affaire d'ornement." Un portrait du peintre Perrelet et quelques photographies nous restituent le Saugy de la septantaine. La stature est moyenne, la charpente bien équilibrée. Il se tient droit. L'encolure est solide, la tête bien posée, toujours couverte d'une casquette plate.

XL

La pipe courbe à la bouche qu'on devine sensible sous la grosse moustache. Menton rond, nez fort, hautes pommettes qui tendent la peau. L'œil est petit, très vif sous la broussaille des sourcils. Les tempes sont striées de rides légères en étoile. On l'imagine plissant les yeux pour juger de la découpure (à la fin de sa vie il portait pour travailler des lunettes rondes, cerclées). Les mains aussi sont fortes, mais intelligentes, attentives, subtiles. Tout est contraste chez ce vieillard. Il est sec et charnu, solide et délicat, rude et très fin, tout à la fois. Il a la pose et le maintien d'un patriarche, et la bonhomie d'un facteur rural. Le visage est grave, sérieux, mais le regard malicieux et la fossette au creux des joues trahissent la tendresse souriante du grand-père.

Il est célèbre depuis plus de vingt ans. Une exposition genevoise l'avait fait entrer de plein pied dans la carrière (c'est lui-même qui emploie ce terme au dos du portrait de Perrelet: "En aucun cas ce tableau ne doit être déplacé de la maison où j'ai fait ma carrière et passé les trois quarts de ma vie"). On venait de loin le photographier, l'interviewer. Des têtes couronnées, des vedettes de cinéma et les hôtes des palaces dorés de Gstaad s'arrachaient ses images. Les commandes s'empilaient dans son pupitre, et ses œuvres prenaient le chemin de nombreuses collections privées du monde entier.

Il mourut au sommet de la gloire, à huitante-deux ans, à la fin de l'hiver maudit où l'incendie détruisit la moitié de Rougemont.

L.D. Saugy

CE PREMIER SAMEDI DE MAI,

je suis monté à Rougemont pour la Fête du Tir de l'Abbaye.
A quatre heures du matin, la Musique avait sonné la diane dans
les rues du village, que la Jeunesse a décoré pendant la nuit de
guirlandes tressées de sapin vert piqué de roses en papier de
couleur. J'ai passé tout le jour au Café du Cheval Blanc à parler
de Louis à Jules dans la fumée et le bruit des voix, auquel se
mêlaient assourdis les coups de fusil, quand la porte s'ouvrait.
Ils venaient du stand, caché derrière le cimetière où repose
Saugy. J'y suis allé. La tombe est fraîchement plantée de pensées
bleues. Sur la pierre levée, ses enfants ont fait graver la
reproduction d'un découpage (un vase au bouquet de centaurées
et de narcisses) et ces mots que je lis quand passe en fanfare le
cortège accompagnant le Roi du Tir au centre du village: "Il
immortalisa le Pays d'Enhaut avec son art et ses ciseaux".
J'ai quitté Rougemont, où la Fête continue. Le train a passé
Château-d'Oex dans le soir qui tombe. On distingue encore
l'entrée étroite des Gorges du Pissot où mourut inconnu,
solitaire, celui qui offrait en reconnaissance d'une soupe, ou de
la nuitée dans la grange, les découpages qu'on se dispute
aujourd'hui, qu'on mise, qu'on rachète à prix d'or.
Cent ans après sa mort, la gloire du charbonnier a commencé
d'éclipser la renommée du facteur au ciel enluminé de l'art
populaire. Entre les deux maîtres-découpeurs du Pays d'Enhaut,
le temps est venu faire la différence, dans la qualité de la
relation que les deux œuvres établissent avec qui les regarde,
dans ce qu'elles lui "disent". Si leurs discours divergent, c'est
que la condition des deux hommes est totalement opposée: l'un

est d'ici - l'autre est d'ailleurs. L'un est enraciné, il a fait souche, il est accepté, intégré dans la communauté et vit heureux du monde tel qu'il est - l'autre est de passage, il est resté célibataire, solitaire, étranger, et vit orphelin du monde, en marge de la communauté, en chemineau d'abord puis en ermite. L'un signe ses tableaux - l'autre pas. Par ses découpages, Saugy s'adresse aux siens - Hauswirth aux autres.

Ils montrent pourtant tous deux les mêmes choses avec les mêmes moyens, simples et savants. Mais ce qu'ils ont à dire, chacun par ses images, est radicalement différent. Saugy dit sa joie de vivre dans un monde où il est chez lui. Il décrit les événements qui réunissent les siens au pays de sa naissance: la traditionnelle Fête du Tir de l'Abbaye, le remuage, les bals populaires de la Mi-Eté, la chasse, le bûcheronnage, la boucherie. Il célèbre les Quatre Saisons de la vie heureuse au Pays d'Enhaut et enjolive son récit de saynètes et d'anecdotes humoristiques. Saugy est un illustrateur. C'est un conteur. Et dans chacune de ses histoires on se surprend amusé à le chercher parmi les personnages.

Rien de tel chez Hauswirth. Lui ne saurait figurer dans les images d'un monde dont il est écarté, rejeté, ignoré, d'un monde qui lui est interdit. Lui n'observe pas, ne raconte pas, n'illustre pas. Il exprime. Chez lui tout est signe. Il se sert de ce qu'il voit, des scènes de la vie quotidienne et de la nature, non pour raconter mais pour créer des formes parfaites, à l'image d'un monde dont il porte en lui l'exigence et l'espoir, d'un monde d'harmonie, d'équilibre, d'unité, d'un monde sans faille. Il parle le langage universel de la beauté, qui seul rassemble les nantis et les démunis, les bien et les malaimés, les enracinés et les déracinés. Hauswirth est un visionnaire, un créateur, un poète. Et c'est pourquoi on n'est pas attentif, en regardant ses découpages, à leur sujet. On n'est pas intéressé, ni amusé. Emu, bouleversé, on contemple l'âme poignée. Saugy témoigne de la vie au Pays d'Enhaut, Hauswirth proclame l'urgente nécessité d'amour pour tous ceux qui hantent le séjour des vivants.

Deux exemples assemblés suffiront à faire toute la différence: le portail et le cœur. Il va de soi que l'on trouve ces deux motifs chez Saugy comme chez Hauswirth: le portail est partout au Pays d'Enhaut, de l'entrée des maisons encloses dans leur jardin au passage des pâturages; et le cœur y figure sur les colliers des bestiaux, aux parois des meubles, sur les signets des bibles.

Ce qui les distingue chez l'un et chez l'autre, c'est leur fonction dans l'image découpée. Saugy décrit le paysage et n'oublie pas d'y situer les maisons avec leur portail. Et le cœur y tient lieu de motif décoratif traditionnel, qu'il place n'importe où, au gré de sa fantaisie ou des impératifs graphiques de la composition.

Chez Hauswirth, ils ont fonction de signe: le portail y figure souvent seul au bas de l'image, où il signifie: porte fermée, interdiction d'entrer, barrière, séparation; et le cœur toujours le domine, au centre du découpage, ou dans son ciel, symbole évident d'union, d'amour ardent, de charité, d'espérance. Et il n'est pas indifférent que seule l'œuvre de Hauswirth transmette un message de foi, quand bien même c'est Saugy qui fait figurer une église au centre du village.

En vérité, tout sépare Johann Jakob et Louis David, le papier lui-même qui les a réunis au-delà de leur âge et de leur état. Ils découpent tous deux, mais ne font pas du papier le même usage. Saugy ne serait rien sans Hauswirth, qui lui a tout donné. Nés et morts à quelques kilomètres l'un de l'autre, les deux hommes n'étaient pas seulement d'une époque et d'une condition différentes. C'est leur qualité d'âme (ou la grâce?) qui les a distingués. Et il est très émouvant qu'à la fin de ses jours le charbonnier ait à son insu légué au facteur les grands bouquets multicolores qui disent qu'enfin réconcilié avec le monde, il a fait sa paix avec les hommes, auxquels il offre, dans la sérénité enfin gagnée, la ferveur de ce témoignage d'amour que sont des fleurs assemblées.

Collection particulière. 32 x 23 cm. (détail).

XLVI

Bibliographie

History of Silhouettes, par E. Nevill-Jakson Londres 1911.

Die Herkunft der Silhouettenkunst aus Persien, par Georg Jakob, Berlin 1913.

Deutsche Schatten und Scherenbilder aus drei Jahrhunderten, par Martin Knapp, Dachau bei München.

Un artiste paysan du Pays d'Enhaut, par Théodore Delachaux, paru aux Archives suisses des Traditions populaires, Tome XX (1916). Cet article a été traduit en allemand et publié par la revue *Das Werk* à Berne en avril 1920, puis par le revue *Du*, en avril 1947.

Gewerbemuseum Basel. Ausstellung *Scherenschnitte und Schattenbilder*, 5. Juli - 3. Juli 1921. Catalogue de Albert Baur.

L'art rustique en Suisse, par Daniel Baud-Bovy, Genève 1924. Traduit en allemand en 1926 sous le titre: *Schweizer Bauernkunst.*

Wegleitungen des Kunstgewerbemuseums der Stadt Zürich 1929: Ausstellung Scherenschnitte 27. Juli - 31. August 1919.

Scherenschnitte aus Hundert Jahren, par Christian Rubi, Verlag Hans Huber, Bern und Stuttgard, 1959.

Die Scherenschnittsammlung des bernischen historischen Museums, par Werner Konrad Jaggi (tiré à part d'un article paru dans le Jahrbuch des Bernischen Historischen Museums in Bern, XLI-XLII Jahrgang 1961 - 1962).

Zu einem Scherenschnitt des Johann Jakob Hauswirth, par Christoph Bernoulli (Saanen Jahrbuch 1972).

Johann Jakob Hauswirth, lettre de Ch. Bernoulli à Ulrich Ch. Haldi (ibidem).

Schweizerische Volkskünstler, de Ch. Bernoulli (ibidem).

Ein Taufzettel von J.J. Hauswirth, de Christian Rubi (ibidem)

Louis Saugy, la vie et l'œuvre du découpeur de Rougemont, par Claude Allegri, les Editions du Ruisseau, Genève 1977.

Table des illustrations

Achevé d'imprimer
le quinze septembre mil neuf cent septante-huit
à Milan, par les presses Grafiche Milani, sur papier glacé opaque Ars.
Les photographies ont été réalisées par les Editions de Fontainemore et
les photolithos par la Graphicolor de Milan.
La reliure est de Legatoria Lem
Réalisation René Creux avec la collaboration de Michèle Dépraz.
Couverture: André Bovey.

Imprimé en Italie